LITERATURA**SM**•COM

Primera edición: marzo de 1995
Trigésima novena edición: mayo de 2016

Edición ejecutiva: Gabriel Brandariz
Coordinación gráfica: Lara Peces

© del texto: Gabriela Keselman, 1995
© de las ilustraciones: Avi, 1995
© Ediciones SM, 1995
Impresores, 2
Parque Empresarial Prado del Espino
28660 Boadilla del Monte (Madrid)
www.grupo-sm.com

ATENCIÓN AL CLIENTE
Tel.: 902 121 323 / 912 080 403
e-mail: clientes@grupo-sm.com

ISBN: 978-84-348-4661-6
Depósito legal: M-42478-2010
Impreso en la UE / *Printed in EU*

EL BARCO DE VAPOR

Si tienes un papá mago...

Gabriela Keselman

Había una vez un niño que,
cada mañana,
dejaba un sueño a medias.

Primero saltaba sobre la cama,
y luego, fuera de la cama.
Se vestía tan deprisa
que se equivocaba
al ponerse un calcetín.
A punto estaba
de lavarse las manos...,
pero decidía que la izquierda
no estaba sucia.

Luego,
salía patinando por el pasillo.
    En fin,
Chiqui hacía,
ni más ni menos,
lo de todos los días.

Y es que,
cuando papá esperaba
en la puerta,
no había que retrasarse.
Sobre todo,
si se trataba de un papá mago.
Como el suyo.

Era un mago muy especial que,
siempre,
le despedía
con un regalo maravilloso.
Le daba unas palabras.
Pero no unas palabras
de ésas del montón.
Eran palabras mágicas.

Chiqui le guiñaba un ojo
y las guardaba
en su bolsillo secreto.
Así, cada mañana,
emprendía el camino del colegio.

Primero pasaba
por la casa de Mijito.

La mamá de Mijito
también le acompañaba
hasta la puerta.
Pero como no era maga,
sino dentista,
no le daba palabras mágicas.
Le daba palabras dentales.

—¡Mijito, lávate los dientes
antes y después de comer!
¡Y mientras masticas también!
¡Y ni se te ocurra
mordisquear el lápiz!
–le decía.

Luego,
le daba un cepillito azul,
uno morado
y uno amarillo.
Y, además, una pegatina
en la que ponía:

LOS CHICLES SON UN ASCO

Y una gorra,
que tenía escrito
con grandes letras bordadas:

SUPERFLÚOR AL ATAQUE

Chiqui miraba a su amigo
con gesto divertido.
Pero su amigo le miraba
con cara de dolor de muelas.
Entonces,
Chiqui se ponía la mano
en el pecho,
donde tenía el bolsillo
de las palabras mágicas.
Y sonreía a Mijito
con tantas ganas,
que lo malo
ya no parecía tan malo.

Al fin,
se iban los dos juntos
hacia el colegio.

Doblaban la esquina
y hacían la segunda parada.
Era la casa de Nenitalinda.
Su papá la acompañaba
a la puerta,
igual que el suyo.
Pero como no era mago,
sino guardia de tráfico,
no le daba palabras mágicas.
Le daba palabras guardianas.

—¡Nenitalinda,
antes de cruzar la calle,
mira a la izquierda
y a la derecha!
¡Y arriba y abajo!
¡Y adelante y atrás!
–le decía.

Luego,
le daba una mochila
con bocina incorporada,
luces rojas
que se encendían y apagaban
y espejito retrovisor.
    Además,
le daba un silbato,
que al soplar anunciaba:

ESTOY CRUZANDO,
ESTOY CRUZANDO...

Chiqui miraba dentro
de su bolsillo secreto,
cerca del corazón,
allí donde guardaba
las palabras de su papá mago.
   Luego,
atravesaba la calzada
con paso seguro y tranquilo.
   Nenitalinda le miraba
con cara de semáforo averiado.
Pero él cogía a su amiga
de la mano
y lo malo
ya no parecía tan malo.

   Al fin,
los tres amigos seguían
camino del colegio.

Una manzana más arriba
vivía Campeón.
El papá de Campeón
también salía a despedirle,
como los demás.

Pero como no era mago,
sino corredor olímpico,
no le daba palabras mágicas.
Le daba palabras rápidas.

—¡Campeón!
¡Date prisa!
¡No pierdas tiempo!
¡Llega el primero!
¡Adiós, adiós!

31

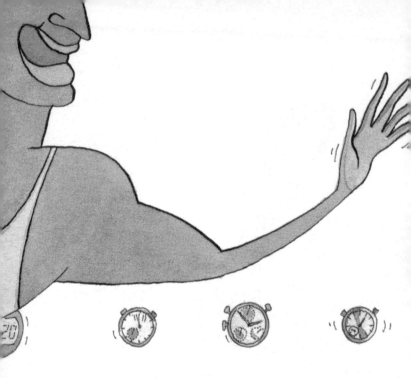

Además,
le daba veinte cronómetros,
unas botas
con motor en los talones
y una medalla
en la que estaba escrito:

SOY EL MEJOR...
DESPUÉS DE MI PAPÁ

Chiqui se reía despacito.

Pero a Campeón se le ponía
cara de carrera perdida.

Entonces,
Chiqui recordaba
las palabras mágicas
que llevaba en el bolsillo.
Daba un abrazo a su amigo
y lo malo ya no parecía tan malo.

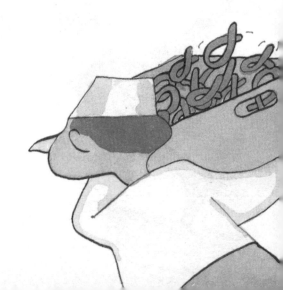

Al fin,
ya eran cuatro amigos
camino del colegio.

Hasta que llegaban
a una casa enorme
con enanitos en el jardín.

La mamá y el papá de Tesorito
abrían la puerta
y despedían a su hija.
Pero como no eran magos,
sino ricos,
no le daban palabras mágicas.
La verdad,
no le daban ninguna palabra
porque pensaban que Tesorito
ya tenía de todo.

Chiqui miraba a su amiga con cara muy seria.

Tesorito miraba a Chiqui con cara de banco asaltado.

Chiqui volvía a asegurarse de que sus palabras mágicas seguían allí.

Le daba la otra mano a su amiga
y lo malo
ya no parecía tan malo.
    Al fin,
la pobre se unía al grupo
y se iban todos al colegio.

Un buen día,
a la salida de clase,
todos rodearon a Chiqui.
  Formaban un curioso círculo:
una cara de dolor de muelas,
una cara de semáforo averiado,
una cara de carrera perdida
y una cara de banco asaltado.
Y en el medio,
una cara serena y alegre.

  Los niños no aguantaban más.
Querían saber
el secreto de Chiqui.

A ver:
¿Por qué Chiqui
nunca ponía cara
de conejo hechizado?
¿Eh?

¿Qué palabras mágicas eran esas
que le daba su papá mago?
¿Eh?

—¿Te dice
MagiChiqui,
magitoma
estas magichachi magipalabras
y te irá de magimaravilla?

—¿O abra la cabra
que labra macabra
a la sombra de la pata?

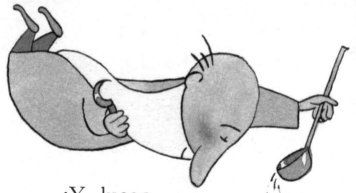

—¿Y, luego,
te echa zumo puedelotodo
en la cabeza?

—¿O una pócima
de carcajadas de rana,
alegría de león
y fuerza de búfalo?

—A lo mejor,
te da en la nariz
con una varita
y te deja turulato
y te crees que él es un mago,
pero no lo es...

—Es un cuento chino.

—Eso, tu papá es japonés.

—No, seguro que es oficinista.

—Entonces,
le dará palabras oficinistas.

—¿Y ésas cómo son?

Y bobada va,
bobada viene,
pasaron una tarde bobísima.

Como tanta bobería
cansa bastante,
Chiqui se marchó a casa.
    Los otros niños
se quedaron murmurando.
Hasta que se les ocurrió un plan:
    —Mañana vamos nosotros
a buscar a Chiqui.
    —Y le espiamos.
    —Y descubrimos
las palabras mágicas.
    —Y les decimos
a nuestros padres
que las aprendan.
    —O que las compren.
    —O que las cocinen.

Por la mañana,
Mijito,
Nenitalinda,
Campeón
y Tesorito
saltaron de la cama
más temprano que nunca.
Se vistieron en silencio
y se escabulleron
sin despedirse
de nadie.

Tal como habían acordado,
se encontraron
frente al portal de Chiqui.
Agachados detrás del seto,
esperaron.

Enseguida,
aparecieron los dos:
Chiqui y su papá mago.
Y Chiqui le pidió,
ni más ni menos,
lo de todos los días:
—Papá, no te olvides de darme
las palabras mágicas.

Entonces,
su papá le dio una vuelta
por el aire
y un montón de besos.

Y, además, le dijo:

¡CHIQUI,
QUE TENGAS UN DÍA FELIZ!

Los niños vieron una ráfaga
de estrellitas de colores
volando alrededor de Chiqui.
Una a una,
se metieron
en su bolsillo secreto.
Ese que queda
muy cerca del corazón.